鱷魚先生在百貨公司上班

文・圖／植垣步子　譯／蘇懿禎

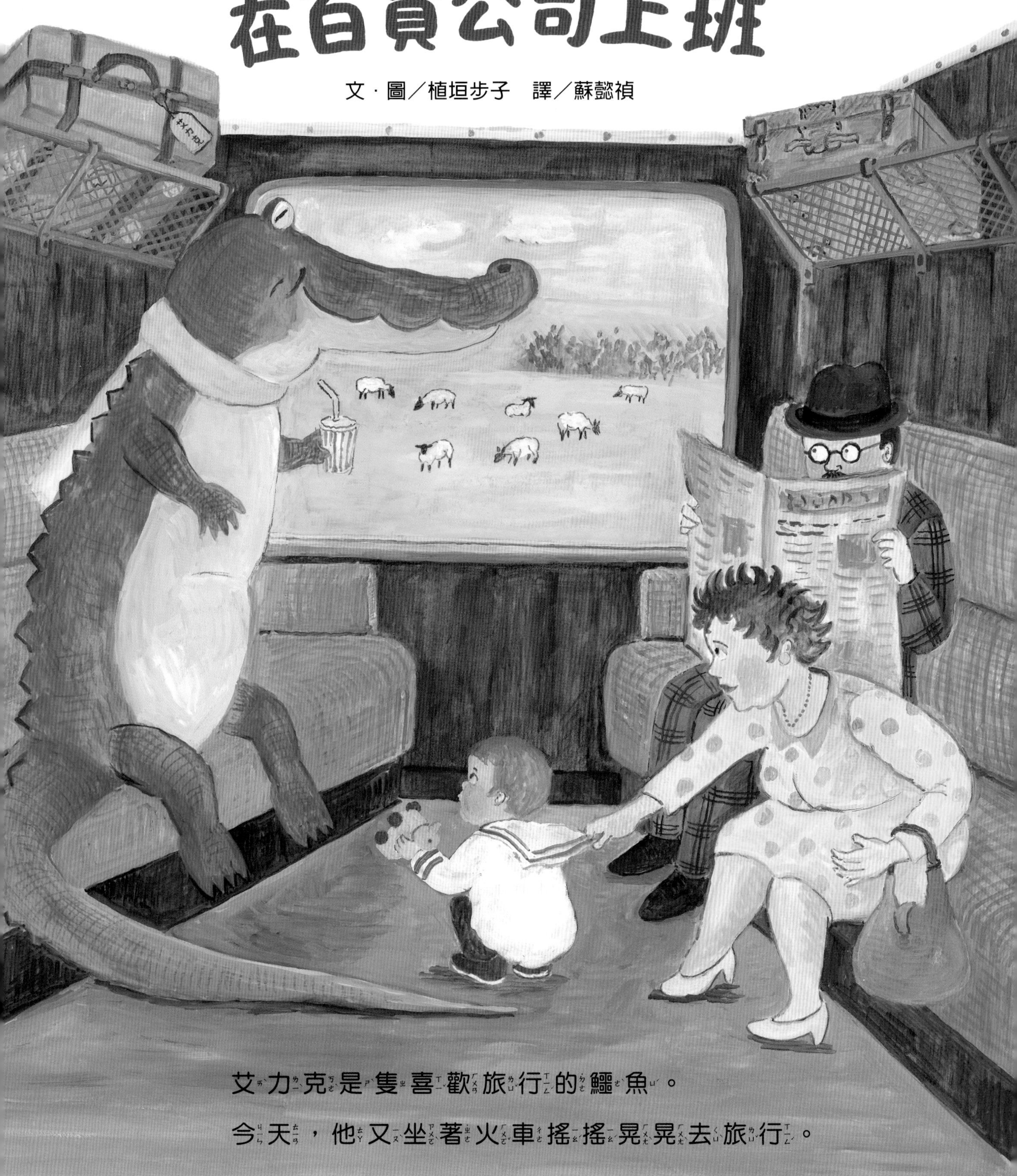

艾力克是隻喜歡旅行的鱷魚。

今天，他又坐著火車搖搖晃晃去旅行。

咦？天上飄著一個奇怪的東西。
「下一站是千層派站，千層派站。」
艾力克決定在這站下車。

班頓百貨公司100週年慶
班頓百貨公司
班頓百貨
百年來深受喜愛
100週年
anniversary
The animals
班頓百貨
100週年
動物特展
10/19
~
11/30

走出驗票口之後，眼前出現一間大百貨公司。
掛著「班頓百貨公司100週年慶」布條的
廣告氣球，在空中輕輕飄動。
「剛剛看到的就是這個呀！」
艾力克推開旋轉門，
精神奕奕的走進百貨公司。

班頓百貨公司100週年慶
The animals
班頓百貨
100週年
動物特展
10/19
~
11/30

百貨公司裡面很熱鬧，

地板閃閃發亮，顧客看起來都很開心。

這時，空氣中飄來食物的香氣，

艾力克的肚子咕嚕咕嚕叫了起來。

「啊，我還沒吃午餐呢！」

於是艾力克走進餐廳。

Popcorn
收銀台
SALE
40% OFF
SALE
正門
SALE
手帕
¥500
服務台
餐廳

「牛排、龍蝦、火腿、烤雞、
炸魚、螃蟹沙拉，還有……」
艾力克把點的東西吃得一乾二淨，
又加點了兩個蛋糕、聖代、布丁和三杯咖啡。

100週年特餐
贈送葡萄酒一杯！
¥3000
艾力克

「謝謝，這是您的帳單。」

艾力克看到帳單吃了一驚！

「很抱歉，我帶的錢不太夠……」艾力克說。

這時候，店長出現了。

「既然如此，你就在我們百貨公司上班，

　用薪水來付帳吧！」

「是！我會努力工作的！」

冰淇淋
甜筒一球
甜筒兩球
杯裝一球
杯裝兩球
巧克力聖代
coffee
Push
100th
special
topping
100th
杯子蛋糕
¥400
100
100
100

艾力克被派去冰淇淋店。

「歡迎光臨！歡迎光臨！」

艾力克給的冰淇淋特別多，客人都非常高興。

但是店員傑瑞的臉，變得和薄荷冰淇淋一樣綠。

「這樣冰淇淋很快就沒了呀！

真抱歉，能不能請你到別的賣場去？」

於是，艾力克到了化妝品區。

他看到同事瑪麗亞幫客人化妝，

也學著塗口紅，在臉上撲粉。

「鱷魚妝好了！」大家看了都哈哈大笑。

但是瑪麗亞把艾力克帶到後面，

「不好意思，我想你還是去別的部門比較合適！」

girl
Kuniko
Kuniko
持久
不脫落
NEW! color
NEW color!
100th
special
nail
100

這次艾力克來到了玩具部，

他的工作是在遊樂區陪小孩玩。

孩子們興奮的在鱷魚背上溜滑梯，

一個小女生鑽進艾力克的嘴巴裡玩。

「啊—— 我家的小孩被吃掉了！」

媽媽的尖叫聲引起一陣騷動。

湯尼先生嚇得直冒汗：

「不好意思，我介紹你去別的賣場好嗎？」

NEW!
CUTE
all
¥200

艾力克從這個地方，換到那個地方。

但是不管到哪，他都待不下去。

最後，他來到頂樓的空中花園，

園丁葛林先生一邊整理花圃，一邊說：

「艾力克，把繩子拿過來給我。」

「好！馬上來！」

艾力克迅速的把身邊的繩子解開。

週年慶

「不是那個！」

葛林先生慌張的大叫。

被解開的竟然是廣告氣球的繩子！

葛林先生和其他人拼命想抓住繩子，

但一轉眼，艾力克已經飄上了天空。

Hôtel

氣球被風一吹，

離百貨公司越來越遠。

艾力克戰戰兢兢的往下看，

所有東西竟變得跟豆子一樣小。

「這下可糟了！」

班黃百貨公司

就這樣飄著，氣球來到海上。

「救命～我得回百貨公司去呀！」

艾力克大聲叫著。

一群海鷗聽見他的呼喊，全都飛了過來。

「我們帶你回去吧！」

於是氣球轉往百貨公司的方向

緩緩飄去。

班頓百貨
HOTEL

輕輕的飄呀飄，

輕輕的飄呀飄。

每個人看到鱷魚氣球都嚇一大跳。

「您現在所看到的是一隻在空中飛的鱷魚，
似乎還拉著班頓百貨公司的布條……」

「有鱷魚在天上飛耶！我們快跟去看看。」孩子們興奮極了。

慶
New

班頓百貨的員工和客人聚集在空中花園，
老闆也微笑著出來迎接。
「艾力克，謝謝你。你把鎮上的人都吸引
過來了。這可是班頓百貨開幕以來最棒
的宣傳呢！」

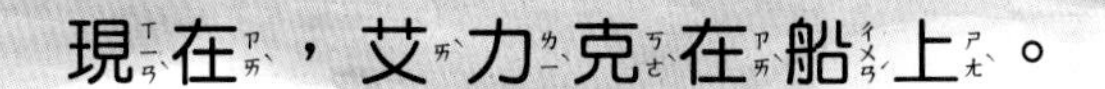

現在，艾力克在船上。

班頓百貨事件讓他變得非常有名。

雖然老闆希望他能夠留下來，

艾力克還是禮貌的拒絕了，

因為他好想去之前看到的大海上旅行。

就這樣，艾力克再次展開新的旅程！

Alligale Works at the Department Store

Original edition Alligale Depart de Hataraku
published in Japanese by Bronze Publishing Inc., Tokyo

中文版授權 上誼文化實業股份有限公司 出版發行

鱷魚先生在百貨公司上班

文・圖／植垣步子　譯／蘇懿禎
總策畫／張杏如　總編輯／高明美　副總編輯／劉維中　執行編輯／周美杉
企畫／曾于珊　美編主任／王素莉　美術編輯／李宜樺
發行人／張杏如　出版／上誼文化實業股份有限公司
地址／台北市重慶南路二段 75 號　電話／ (02)23913384（代表號）
客戶服務／ service@hsin-yi.org.tw　網址／ http://www.hsin-yi.org.tw
郵撥／ 10424361　上誼文化實業股份有限公司　定價／ 280 元
2013 年 11 月初版　ISBN／ 978-957-762-545-8

　讀者服務／信誼・奇蜜親子網 www.kimy.com.tw